LA LUZ DE MERIDIAN

Planeta Junior

Hay Lin

Hay Lin vive con sus padres en un apartamento encima del restaurante chino de su familia. El cuadro que tiene en su habitación fue pintado por su tatarabuelo en un viaje a China, por lo que su afición a la pintura no es casual, sino que le viene de familia. Hay Lin tiene la creencia de que no estamos solos en el Universo, y mientras espera la llegada de su chico espacial, se conforma con coleccionar alienígenas. En la cabecera de su cama tiene colgado un pergamino en el que ha escrito con caracteres chinos: «Tu sonrisa es fuente de vida y felicidad», frase que lee cada mañana cuando se levanta.

Will

Will vive con su madre en un apartamento de una zona residencial en las afueras de Heatherfield. Ha decorado su habitación con un montón de ranas, que colecciona desde hace ocho años. La primera se la regaló su abuela paterna, quien solía llamarla «ranita mía» porque de pequeña tenía la costumbre de saltar en la cama. Entre todas las ranas, Will le tiene un especial aprecio a la rana-despertador, regalo de sus antiguos compañeros de escuela, que cada mañana le da los buenos días y le recuerda todo lo que tiene que hacer. Desde hace algún tiempo comparte su habitación con su traviesa mascota, un lirón que rescató de las garras de Uriah y su pandilla en el parque.

Irma

Irma vive en una casa con jardín con su padre, que es policía, su madre y su hermano pequeño, Christopher. Comparte su habitación con su adorada tortuga, *Lechuga*, a la que le ha construido un precioso acuario con la ayuda de Hay Lin. En la cabecera de su cama no falta un póster de Karmilla, su cantante favorita, de la que tiene todos sus discos, y encima de su mesita de noche tiene un diario, en el que todas las noches escribe lo que le ha pasado durante el día. A Irma le encanta pasarse horas y horas tumbada en la alfombra de su habitación hablando por teléfono con sus amigos.

Taranee

Taranee vive con su familia en una casa con jardín cerca del mar. Su padre es psicólogo, su madre es juez y a su hermano mayor, Peter, le encanta el surf y los deportes de riesgo. Taranee ha decorado su habitación con elementos étnicos. En el segundo cajón de su tocador guarda los adornos que tanto le gusta ponerse en el pelo; tiene sesenta de diferentes colores y los combina con la ropa que lleva. En una esquina de su habitación, Taranee tiene una jirafa de madera de coco que le regaló su abuelo, a la que llama *Zú* y a la que siempre le da las buenas noches antes de irse a dormir.

Cornelia

Cornelia vive con sus padres y su hermana menor, Lilian, en un bonito piso de uno de los barrios más elegantes de la ciudad. La habitación de Cornelia tiene una amplia terraza con vistas al parque, que utiliza como refugio cuando quiere pensar. Encima de su escritorio tiene una estantería con todos los trofeos que ha ganado en los concursos de patinaje en los que ha participado, aunque Cornelia le tiene un cariño especial al primero que ganó. En su tocador abundan los perfumes naturales como el sándalo o el pachouli, aromas que le recuerdan a la tierra.

EL PODER DEL FUEGO

«Si una gota astral
ocupara tu lugar
un día...»

UNA SONRISA.

TARANEE SONRÍE Y HAY LIN NO PUEDE DEJAR DE MIRARLA.

SILENCIO, CHICOS. VOY A PASAR LISTA.

TODO PARECE UN SUEÑO. LOS PODERES MÁGICOS, LA MUERTE DE LA ABUELA, EL METAMUNDO...

BENSON.

PRESENTE.

QUE DEJA OÍR SU VOZ...

SI NO LA HUBIESE VISTO PRISIONERA, DIRÍA QUE TARANEE ESTÁ DETRÁS DE ELLA.

PERO TARANEE HA SIDO SUSTITUIDA POR UNA GEMELA PERFECTA.

¡LIN!

?!

EL AUTOBÚS NO ESPERA. ¿O QUIERES QUE LE PINCHE LAS RUEDAS?

BASTARÁ CON QUE NO UTILICES TUS ENCANTOS, O EL CONDUCTOR SALDRÍA DISPARADO.

NO TIENES NINGUNA GRACIA, IRMA.

SI QUISIERA QUE TE RIERAS ME PINTARÍA DE PAYASO.

¿ES QUE NO ESTÁS PINTADA DE PAYASO AHORA?

¿ALGUIEN TIENE ANTÍDOTO PARA VÍBORAS?

VALE YA. NO ES MOMENTO PARA PELEAS.

NO ERES LA MÁS INDICADA PARA MANDARME CALLAR.

¿QUÉ QUIERES DECIR?

QUE SI NO HUBIERA SIDO POR TI, A ESTAS HORAS...

¿QUÉ? SIGUE, VENGA.

SI NO HUBIERA SIDO POR MÍ, TARANEE ESTARÍA CON NOSOTRAS. ¿ES ESO?

NO... NO QUERÍA DECIR ESO.

PERO LO HAS PENSADO. QUE ES PEOR.

CALMA, WILL. ESTAMOS TODAS MUY NERVIOSAS.

¿QUÉ OCURRE?

NADA. EL PORTAL NO SE ABRE.

Y EL SELLO DE PHOBOS TAMPOCO DA SEÑALES DE VIDA.

ESO SIRVE PARA SALIR DEL METAMUNDO, PERO ENTRAR ES OTRA COSA.

NO PODEMOS ABANDONAR A TARANEE. PASAREMOS POR UN PORTAL ABIERTO. ¿DE ACUERDO?

NO HACE FALTA PREGUNTARLO. HAY LIN, ¿LLEVAS EL MAPA DE LOS PORTALES?

SÍ, PERO OS LO DEJO... TENGO QUE IRME.

?!

¿QUÉ LE PASA?

DESDE QUE ENTRÓ EN ESTA CASA PARECE UN POCO RARA.

¡MIRAD! ¡EL CORAZÓN DE KANDRAKAR...!

13

...NOS ESTÁ INDICANDO EL CAMINO. ¡ESTÁ EN EL ARRECIFE!

EL AIRE, MI ELE-MENTO...

...ME LLAMA...

UNA CAJA DE MÚSICA...

14

EN EL JARDÍN DE LOS LAIR.

¿QUÉ EXCUSA DIJISTE PARA VENIR?

DIJE QUE COMÍAMOS EN EL RESTAURANTE DE TUS PADRES.

EL PROBLEMA ES QUE TENGO HAMBRE. VOY A PICAR ALGO ANTES DE IRME.

LUEGO NOS VEMOS YA-SABES-DÓNDE. ¡Y LLEVA ROPA ADECUADA!

¡DESCUIDA!

ESPERO QUE MAMÁ NO ME PILLE...

¿DÓNDE HAS ESTADO?

HE LLAMADO AL RESTAURANTE DE HAY LIN Y NO ESTABAS.

COMIDA PARA LLEVAR, MAMI. COMIMOS EN CASA DE WILL.

17

NO, GRACIAS. SEGURO QUE LO HA DICHO PORQUE ESTABAN SUS PADRES...

CLUD

HABLAS DE HACE DOS TALLAS DE CINTU-RÓN, ¿VERDAD?

ANTES, UN UNIFORME ERA MUY ATRACTIVO. MÍRANOS A TU MADRE Y A MÍ.

ESTE MES SALE LA FOTO DE DOS PICHONCITOS, ¿EH?

¡O-OH RETI-RADA ESTRA-TÉGICA!

¡HASTA LUEGO, HERMANITA! ¡CÓGEME AHORA SI...!

CLACK

19

¡AAAH, PAPÁ, MAMÁ!

¡TOMA ESA!

¿QUÉ PASA, CHRISTOPHER?

¡SALE AGUA DE LA DUCHA! ¡ME ESTOY EMPA-PANDO!

SSSSHHH

MIENTRAS, NO MUY LEJOS...

UN BESO. ¿ES MUCHO PEDIR?

VOY A IRME A OTRO MUNDO. A LO MEJOR NO VUELVO A VERLO.

BASTA DE SUEÑOS, WILL. ÉSA DEBE DE SER LA CASA DE MATT.

20

SHHHH. NO TE PONGAS NERVIOSO, LIRÓN. EL JARDÍN ESTÁ LLENO DE ANIMALES...

CRAAA

NO PUEDO COLGARTE UNA NOTA AL CUELLO. LE ENVIARÉ UN MENSAJE AL MÓVIL.

TE LO RUEGO, CUÍDALO. SÓLO CONFÍO EN TI. WILL. ENVIAR...

BEP

BIP BEP

P.D. ¿PODRÍAS CUIDAR DE MÍ TAMBIÉN? NO. ESTO NO LO ESCRIBO.

T-CLANCK

25

VIVO EN LA CALLE... VIVO EN LA CALLE... HUM... EN LA PLAZA...

TABLA RASA. VACÍO TOTAL. CERO ABSOLUTO.

TU GOTA ASTRAL NO RECUERDA NADA. NO ES COMO LAS NUESTRAS.

EL CASO ES QUE MIENTRAS LA CREABA, PENSABA QUE ELLA PODRÍA...

¿SUSTITUIRTE PARA SIEMPRE?

ES DEFECTUOSA. HAGAMOS OTRA.

NO. PUEDE VOLVER A PASAR LO MISMO.

TIENE RAZÓN. VOY A RESOLVERLO DE UNA FORMA MUY SENCILLA.

AQUÍ TIENES LO QUE DEBES HACER Y LO QUE NO. ¿SABES LEER, WILL?

CLARO, CLARO. SÓLO UNA PREGUNTA.

¿QUIÉN ES WILL?

EL ACANTILADO DE HEATHERFIELD. CUEVA DE LA CONCHA. 20.30 H.

¿YA SE HA IDO TU GOTA ASTRAL, HAY LIN?

SÍ, LE HE PREGUNTADO MIS COSTUMBRES Y LAS SABE TODAS.

IRÁ A CASA, SE TUMBARÁ EN MI CAMA Y ENTRARÁ EN MI MUNDO DE LOS SUEÑOS.

MIENTRAS NOSOTRAS VAMOS A ENTRAR EN EL DE LAS PESADILLAS.

REPÍTELO POR ÚLTIMA VEZ.

A LAS SIETE: DESPERTADOR. A LAS SIETE Y CUARTO: DUCHA. A LAS SIETE CINCUENTA: BESO A MAMÁ Y...

27

VALE, VALE. SI LEES LAS INSTRUCCIONES NO TE EQUIVOCARÁS. ¡Y NO OLVIDES...!

...LO QUE NO DEBO HACER. YA LO SÉ. ESTÁ EN LA LISTA.

¡AY!, ESPERO QUE ENCUENTRE EL CAMINO A CASA.

O LLEGA O SE PIERDE, WILL. VAMOS.

ESTÁ MUY OSCURO. GRACIAS A QUE HAY LIN Y YO ESTAMOS PREPARADAS.

HE ENTRADO EN ESTA CUEVA CIENTOS DE VECES.

¡CUÁNTOS ESCRITOS! NO ME HABÍA FIJADO ANTES.

SON PRUEBAS DE AMOR. ¡ÉSTA SÍ QUE ES UNA LECCIÓN DE HISTORIA!

TE EQUIVOCAS, IRMA. ESTO SON *ACTOS VANDÁLICOS.*

ELLA ESTÁ CON ÉL EN EL VERANO DE UN AÑO. ÉL ESTÁ CON OTRA EN EL MISMO VERANO...

AHORA QUE TENGO LOS PODERES DE LA *TIERRA* ME DOY CUENTA DE QUE LA GENTE...

...NO LA RESPETA.

¡EH! ¡MIRAD AQUÍ!

ESTE DIBUJO APARTADO DE LOS OTROS.

UN FUEGO AZUL CON CUATRO LLAMAS. ¿Y QUÉ?

ES IDÉNTICO AL QUE DIBUJÓ IRMA ESTA MAÑANA.

¿CÓMO ES POSIBLE? HACE UN AÑO QUE NO VENGO AQUÍ.

¡OH!

¡WILL!

ESTOY BIEN, CHICAS. ES EL MISMO VACÍO...

... QUE SIENTES CUANDO ESTÁS CERCA DE UN PORTAL. TAL VEZ ESTÉ AQUÍ.

POR PROBAR NO PERDEMOS NADA. AGARRAOS FUERTE. TOCARÉ EL DIBUJO Y...

DIRÍA QUE SEGUIMOS ESTANDO EN EL MUNDO DE LOS GRAFITEROS ENAMORADOS.

NO TE PREOCUPES, WILL. HABRÁ SIDO UN MAREO DE HAMBRE.

NO HA PASADO NADA.

NO TE PREOCUPES, WILL. POBRE WILL. CREO QUE HABRÍA QUE PREOCUPARSE POR ALGUIEN MÁS...

¿QUIERES VOLVER AL TEMA DE TARANEE, CORNELIA?

Y... ¡MIRAD! HAY UNA LUZ EXTRAÑA Y LAS PAREDES DE LA CUEVA SE HAN VUELTO... ¡LISAS!

PARECE EL INTERIOR DE UNA CONCHA DE VERDAD.

PERO ¿QUÉ...?

WOOOO

¡AGUA! ¡VIENE AGUA!

¡IRMA! ¡HAZ ALGO!

WOOOSH

SÓLO PUEDO TRATAR DE CREAR...

¡...UNA BURBUJA DE AIRE!

DIRÉIS LO QUE QUERÁIS PERO NO ES UNA **OLA CUALQUIERA.** ¡HEMOS ATRAVESADO EL PORTAL!

¡RÁPIDO, PONEOS ESTO!

¿QUÉ SON ESTA ESPECIE DE TÚNICAS?

NO OFENDAS A NUESTRA DISEÑA-DORA.

NO ES NINGUNA OFENSA. SON TÚNICAS CON CAPUCHA.

LAS HE HECHO PENSANDO EN LOS VESTIDOS DE LOS HABITANTES DE MERIDIAN.

¡GENIAL! ASÍ PASA-REMOS INADVER-TIDAS.

ESO ESPERO. AUNQUE TODA-VÍA NO SÉ SI ESTAMOS EN EL SITIO JUSTO.

¡PRONTO LO DESCUBRIREMOS! ¡LA CORRIENTE NOS ARRASTRA HACIA FUERA!

O-OH. ¡SI LO QUE VEO ES **FUE-RA,** PREFIERO VOLVER **DENTRO!**

¡POR MIL PECES PARLAN-TES! HEMOS ACABADO...

...Y SON MIRADAS MUY CURIOSAS.

¡MAMÁ! ¡VEN, MIRA!

¡AHORA NO PUEDO, FARGART!

ES QUE EL **CANGREJO ERMITAÑO** QUE HE ENCONTRADO EN EL MERCADO ESTÁ SALIENDO DE SU CASA.

SÓLO ERA UNA CARACOLA VACÍA. DEJA DE COGER COSAS DEL SUELO.

¡NO LO HE COGIDO! ¡LO HE ENCONTRADO!

CHICAS. TENGO UNA TERRIBLE DUDA.

SI HE COMPRENDIDO BIEN, ESTAMOS EN EL META-MUNDO, PERO SOMOS PEQUEÑÍSIMAS. ¿ES ESO?

EXACTO. Y ESTAMOS EN UNA ESPECIE DE **PECERA DE CRISTAL**.

YO SÓLO CONOZCO UNA UTILIDAD DE LAS PECERAS DE CRISTAL.

¿E-ESTÁS DICIENDO QUE AHÍ AFUERA PODRÍA HABER UN **PECECITO ROJO** DISPUESTO A DEVORARNOS?

¡AAAAH!

¡PEOR!

CLUNCK

LA GEMELA DE WILL REPASA LAS LECCIONES.

UHM... VEAMOS,...

NO. EN LAS INSTRUCCIONES NO HAY NINGÚN DESPERTADOR. ¡BUENAS NOCHES!

¡UN MOMENTO! ¡AAAH! ¡LAS SIETE!

LAS SIETE. LAS SIETE. ¿QUÉ HACE LA VERDADERA WILL A LAS SIETE?

¡YA, AQUÍ ESTÁ....! SE LEVANTA.

¡AAA-CHÍS!

SÍ, LO HAS ENTENDIDO BIEN, AMANDA...

NO ME ENCUEN-TRO BIEN. APLAZA MIS CITAS. HOY ME QUEDO EN CASA.

¿DÓNDE ESTÁ EL BAÑO?

DI A SPENCER QUE COMPRUEBE LOS... ¡WILL! ¿¡TODAVÍA ESTÁS EN PIJAMA!?

¿EH? ¿TÚ ERES MI MADRE?

AUNQUE ME ENCUENTRE MAL, NO MEREZCO...

...NO, AMAN-DA. NO TE GRITABA A TI.

MEJOR ME LARGO.

43

¿EN QUÉ ME HE EQUIVOCADO? ¿DÓNDE ESTÁ LA MALDITA HOJA DE INSTRUCCIONES?

¡AAGH! ¡LA HE PERDIDO!

A VER... A LAS SIETE: DES-PERTADOR. SIETE QUINCE: DUCHA. SIETE CINCUEN-TA, BESO...

¿BESO? YA, PERO ¿A QUIÉN TENGO QUE BESAR?

"¿TAL VEZ A UN CHICO?"

ARRIBA, LIRÓN. SÉ QUE ES PRONTO. PERO ESTA NOCHE TÚ HAS TENIDO DESPIERTOS A MIS PADRES.

POR CULPA DE ELLOS TENGO QUE DEVOLVER- TE INMEDIATAMEN- TE A TU AMA, QUE ME DEBE UNA EXPLICA- CIÓN...

DIN DON

¡WILL! ABRE, POR FAVOR. ¡AAA-CHÍS!

¡SÍ! ¡SÍ! PERO ¿CÓMO SE CIERRA ESTA COSA?

¿EH? ¿W-WILL?

MÁS O MENOS. ¿QUÉ QUIE- RES?

TE DEVUELVO EL LIRÓN. YA SÉ QUE SON SÓLO LAS... EJEM... SIETE CINCUENTA Y TÚ...

¿LAS SIETE Y QUÉ? ¡AH, SÍ...!

... GRACIAS POR RECORDÁRMELO.

44

WILL, HOY ME QUEDO EN CASA. ¿ESTÁS CONTENTA?

NO, MAMÁ.

¿HABLO CON LA MISMA WILL QUE SE QUEJA DE QUE TRABAJO DEMASIADO?

¡EH! ¡QUIETO!

ESTO... SÍ, MAMÁ. ¿ESTÁ BIEN ASÍ?

¡LA HOJA! MIRA DÓNDE HABÍA IDO A PARAR.

O-OH, TENÍA QUE BESAR A MAMÁ, ¡NO A AQUEL CHICO!

¡OH! ¡NO! ENTRE LAS COSAS DE NO HACER ESTABA: "NO BESAR A NINGÚN CHICO".

MAMI. ¿TE HAN DADO UN BESO POR ERROR ALGUNA VEZ?

QUÉ PREGUNTA. NO. ADEMÁS, ALGUNOS ERRORES SE PAGAN CON BOFETADAS.

WILL. ¡WILL! ¿QUIERES PARAR UN MOMENTO? HE DE DECIRTE ALGO.

AHORA, NO, MAMÁ. TENGO QUE RESPETAR EL HORARIO.

¿HORARIOS? ¡PERO SI HAY QUE DESPERTARTE A CAÑONAZOS!

¿SÍ? ¿Y CÓMO SUENAN ESOS CAÑONAZOS? ¿BEEEP BEEEP?

DÉJAME A MÍ. MIENTRAS TANTO... TE AVISO QUE ESTA NOCHE TENDREMOS UN INVITADO A CENAR.

¿AH, SÍ? ¿ES MÍO ESE CROISANT?

EL CASO ES QUE SE TRATA DEL... DEL PROFESOR COLLINS.

MMMM... ¿Y QUÉ?

QUIZÁ NO ME HE EXPLICADO BIEN. HABLO DE AQUEL PROFESOR COLLINS.

BIEN. ¡QUE OS DIVIRTÁIS!

¿Q-QUE OS DIVIRTÁIS?

¡AH! ¡AHÍ ESTÁ!

¡AH! ¡AHÍ ESTÁ!

¿QUIÉN ES ESE TIPO QUE VA CON TODO UN EJÉRCITO, IRMA?

ES EL VENDEDOR. EL QUE ME VENDIÓ EL MAPA DE LA CIUDAD.

¡POR LO QUE SE VE, NO LE HA GUSTADO TU RELOJ!

NO ENTIENDO POR QUÉ. ¡LO GANÉ CON LAS PATATAS FRITAS!

¡WILL! ¿NO CREES QUE ÉSTA ES LA OCASIÓN DE TRANSFORMARNOS?

¡NO! ¡AÚN NO HA LLEGADO EL MOMENTO!

49

EL CORAZÓN DE KANDRAKAR LO TIENES TÚ, ¡PERO LA VIDA ES NUESTRA!

¡YO NO PEDÍ TENERLO! PERO, PUESTO QUE ES ASÍ, ¡NO OS QUEDA MÁS REMEDIO QUE SEGUIRME!

ENTONCES ¿SE ESCONDÍA EN NUESTRO MUNDO? ¿DE QUÉ?

HAY UN MANTO OSCURO QUE CUBRE EL CIELO Y EL CORAZÓN DE MI GENTE.

MILLONES DE CORAZONES OSCUROS, ENFADADOS, HACINADOS, DESESPERADOS. ¡ESO ES MERIDIAN!

¡ESO ES LA OSCURIDAD!

MI SEÑOR, SI ENCONTRÁIS A ESA ESTAFADORA...

NO PUEDES ALEGAR DERECHOS SOBRE ELLA, INSIGNIFICANTE INDIVIDUO. ¡SERÁ MEJOR QUE DESAPAREZCAS!

FTOOOM

¡ES MUY RESISTENTE, LORD CEDRIC!

HAN REGRESADO AL METAMUNDO SÓLO PARA LIBERAR A SU AMIGA.

YA... ¡QUÉ PENA QUE ESTA VEZ NO VUELVAN A SALIR!

¡ESOS RUIDOS NO AUGURAN NADA BUENO! ¿QUÉ HACEMOS AHORA?

DEBÉIS TOMAR UNA DECISIÓN. TAMBIÉN EL TIEMPO TIENE SUS REGLAS AQUÍ.

FTOOOM

¡VAMOS, VATHEK! ¡LO ÚNICO QUE NOS SEPARA DE LAS GUARDIANAS ES EL UMBRAL DE LA SOMBRA!

53

¡... DEL JARDÍN DE PHOBOS!

ES... ES...

ES INÚTIL DEFINIRLO. TODO ESTÁ INSPIRADO EN LA PERFECCIÓN.

SI ES TAN PERFECTO, ¿POR QUÉ ME DA MIEDO?

PORQUE TODO LO QUE VES ES LETAL. Y AHORA, CALLA. ELLOS ESTÁN AQUÍ.

LOS MURMURANTES. CORTE DE PHOBOS. VOZ Y OJOS DEL PRÍNCIPE DE LOS PRÍNCIPES.

...vosotras guardianas...

¡ERA UN ENGAÑO DE ELYON! ¡O TAL VEZ VIERAS A MI GEMELA EN LA TIERRA!

HAZ LO QUE TE HE DICHO. ¡RÁPIDO!

NO HA SUCEDIDO. PUEDES LEERME EL PENSAMIENTO, SI NO NOS CREES.

¡TARANEE! ELLA NO...

¡ELLA DICE LA VERDAD!

¡SÓLO LA AUTÉNTICA WILL SABE QUE YO SOY TELEPÁTICA!

MIENTRAS TÚ... ¡TÚ HAS JUGADO CON MIS SENTIMIENTOS! ¡Y NADIE DEBERÍA JUGAR...!

¡CON FUEGO!

WOOOOOSH

¡WILL! DEBO...

SÓLO DEBES CONFIAR EN MÍ.

Y DARME LA MANO...

YA ESTÁ. ¡AHORA NO PODEMOS HACER NADA!

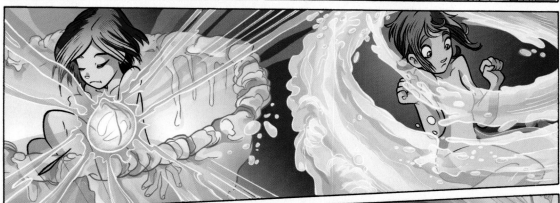

¿ÉL, DÓNDE ESTÁ?

SI TE RE-FIERES A COLLINS, NO ESTÁ. HE APLA-ZADO NUES-TRA CITA.

ESTA MAÑANA TE PORTASTE DE UNA MANERA MUY RARA. NO PARE-CÍAS TÚ.

ENTON-CES, SE HA DADO CUENTA.

ALGUNAS VECES HAY SEÑALES QUE UNA MADRE DEBE SABER RECIBIR.

Y, EN ESTOS CASOS, LA VELADA MÁS ROMÁNTI-CA NO VALE TANTO COMO UNA CENA...

"... ENTRE AMIGAS..."

¿Qué clase de poder tendrá
que utilizar Will para que
Matt olvide lo ocurrido con
su gota astral?

LA ÚLTIMA LÁGRIMA

«Un mundo que es incapaz de cambiar es un mundo sin esperanza»

SE MUEVE EN LA OSCURIDAD.

SEÑOR DE LAS TINIEBLAS, CORRE EN LA SOMBRA RÁPIDO Y SILENCIOSO.

LA MIRADA ATERRADA. LA RESPIRACIÓN RÁPIDA. GIRA. SALTA. HUYE. SE DA LA VUELTA.

EL CORAZÓN LATE ENLOQUECIDO. OYE PASOS QUE SE ACERCAN. SABE QUE ESTÁ ATRAPADO...

... Y LO PEOR ES QUE ELLA TAMBIÉN LO SABE.

VENGA. ¡SAL DE AHÍ! ¡ESTA VEZ SÍ QUE LA HAS HECHO BUENA!

¡ÑIK!

69

¿SÍ? HOLA, QUERÍA HABLAR CON MATT. SOY... SOY... UNA AMIGA... AH... ¿Y CUÁNDO VOLVERÁ? ES BASTANTE URGENTE.

SÍ. VALE. DIGA. TOMO NOTA... ALMOND STREET...

"... EN EL NÚMERO 12. ¡GRACIAS!".

¡AQUÍ ES! DEBE DE SER LA TIENDA DE ANIMALES DE SU ABUELO.

¿SE... SE PUEDE?

ENTRA. ¿EN QUÉ PUEDO AYUDARTE?

¡AH, ERES TÚ!

EJEM... ¡HOLA!

¿OS CONOCÉIS?

¿VAS A DARME OTRA BOFETADA?

PUEDO EXPLICARLO.

¡HACED COMO SI YO NO ESTUVIERA!

¿ASÍ QUE TIENES UNA **EXPLICACIÓN?** ¡OIGAMOS!

ESTO... HAY UNA EXPLICACIÓN, PERO NO ME CREERÍAS.

ESA ATONTADA DE MI GOTA ASTRAL...

...PRIMERO LE BESA ¡Y DESPUÉS LE ABOFETEA! ¡ES IDIOTA!

SIGO ESPERANDO.

ESTO... SÍ... PERO ANTES HAY ALGO MÁS IMPORTANTE, MATT. ¡MIRA!

¿QUÉ LE HA PASADO?

TIENE EMPACHO DE GALLETAS.

ABUELO...

¡VAYA, CUANDO LE HACE FALTA SE ACUERDA DEL VIEJO!

72

ENCANTADO DE CONOCERTE, SEÑORITA...

SOY WILL. WILL VANDOM.

Y ÉSTE ES TU LIRÓN. NO ES UN ANIMAL DOMÉSTICO...

WILL LO SALVÓ EN EL PARQUE HACE ALGÚN TIEMPO.

¡UNA CHICA VALIENTE! ALGO ME DICE QUE ESTE ANIMALITO TAMBIÉN SE SALVARÁ HOY. DEBE SER SU ÁNGEL DE LA GUARDA.

LO TENDRÉ EN OBSERVACIÓN Y EN UN PAR DE DÍAS PODRÁS LLEVÁRTELO A CASA.

ESTO PARECE... UNA CLÍNICA DE ANIMALES.

MI ABUELO ES VETERINARIO DESDE HACE CINCUENTA AÑOS.

NO CONSIGO JUBILARME. ¡ESTOS ANIMALES SON COMO MIS HIJOS!

ES UN TIPO RARO. SÓLO VENDE SUS ANIMALES A QUIEN LE CAE BIEN.

SERÁ POR ESO QUE NO VENDO MUCHOS. TENGO GUSTOS DIFÍCILES...

73

¿HAS OÍDO? ¡ME DARÁ UNA RESPUESTA MUY PRONTO!

EN OTRAS CASAS...

¿PROMETIDO?

¿CUÁNDO HE PROMETIDO YO COSA SEMEJANTE?

¡IRMA! ¡SI NO SALES DE TU CUARTO INMEDIATAMENTE VOY A ENFADARME!

¡TENGO QUE ESTUDIAR! ¡TENGO QUE HACER LOS DEBERES! ¡MANDA A LECHUGA EN MI LUGAR! ¡NO NOTARÁ LA DIFERENCIA!

¡VENGA! ¡NO SEAS NIÑA!

¡NO PUEDES HACERLE ESTO A TU HIJA PREDILECTA!

¡ACEPTASTE Y VAS A CUMPLIR TU PALABRA!

¡NO ES MI PALABRA! ¡FUE LA ESTÚPIDA DE MI GEMELA ASTRAL LA QUE DIJO QUE SÍ!

SHHHH

¡NADIE CON BUEN GUSTO HABRÍA ACEPTADO UNA INVITACIÓN SEMEJANTE!

EJEM... SALUDA A TU AMIGO, IRMA.

¡ROSQUILLA MÍA! ¡ESTÁS A-DO-RA-BLE!

¿QUÉ PASA? ¿VAS DE CARNAVAL O SE TE HA QUEMADO EL ARMARIO?

ES MI UNIFORME DE GALA.

¡LLEVO DOS AÑOS ESPERANDO ESTE MOMENTO!

ESTO ES UNA PESADILLA. ¡RÁPIDO! ¿DÓNDE VAMOS?

DISCÚLPALA, MARTIN. ESTÁ UN POCO NERVIOSA. NORMALMENTE ES MUY AMABLE...

¿CÓMO PUEDO SER AMABLE CON ALGUIEN VESTIDO ASÍ?

¿?

¡TODAS DECÍS LO MISMO AL PRINCIPIO! YA SÉ CÓMO SOIS LAS MUJERES. ¡DETRÁS DE ESA MÁSCARA SE ESCONDE UNA CRIATURA SENSIBLE!

¡QUE TE DIVIERTAS, PATATITA!

BRRRR...

AHORA ME VES CON ESTE UNIFORME OFICIAL UN POCO SERIO, PERO ÉSTA NO ES MI VERDADERA IMAGEN...

NO QUIERO PARECERTE PEGAJOSO, PERO CREO QUE ESTAMOS HECHOS EL UNO PARA EL OTRO.

¿DE VERDAD? ¿LO HAS LEÍDO EN ALGÚN MANUAL?

LOS HOMBRES COMO YO SE APOYAN EN SU INTELIGENCIA. HACEN QUE PIERDAS LA CABEZA Y DESPUÉS...

... DESPUÉS SIEMPRE PODEMOS SORPREN- DERTE. MÍRAME SIN LAS GAFAS. ¿NO PAREZCO OTRO?

¡AH!

BDUMP DUMP BUMP DUMP BDUMP BDUMP DUMP ME

ESTO... AHORA... ¿A QUIÉN ME PAREZCO?

¡A UN MIOPE QUE ACABA DE DARSE UN TORTAZO!

¿NECESITAS AYUDA, HIJO?

MARTIN...

NO, GRACIAS. ESTOY PERFECTAMENTE.

YA ESTAMOS. YA ME IMAGINO EL DÍA EN QUE DIREMOS: "¿TE ACUERDAS DE AQUELLA TARDE EN EL MUSEO DE HEATHERFIELD?"

MARTIN...

HEATHERFIELD MUSEUM

YA TENGO LAS ENTRADAS. ¡LOS JÓVENES EXPLORADORES TENEMOS DESCUENTOS ESPECIALES!

MARTIN, HAY ALGO QUE ME GUSTARÍA DEJAR CLARO.

ERES UN BUEN AMIGO, UN *POCO PESADO* QUIZÁ, PERO UN AMIGO.

SÓLO UN AMIGO. ¿ENTIENDES LO QUE QUIERO DECIR?

NO

HE VENIDO SÓLO POR AMISTAD. ASÍ QUE ABRE LAS GAFAS... QUIERO DECIR... LOS OJOS A LA REALIDAD.

¿TÚ CREES QUE DEBERÍA?

SERÁ MEJOR PARA TODOS, CRÉEME.

¡V-VALE!

HE HECHO EL IDIOTA, ¿EH? ¿QUIERES DECIR ESO? ME IMAGINO QUE AHORA TE VOLVERÁS A CASA...

¡NI SOÑARLO! ¡ME HAS ARRASTRADO AL MUSEO Y AHORA NO ME IRÉ HASTA QUE LO HAYA RECORRIDO DE CABO A RABO CONTIGO!

¡AJÁ! EN LO MÁS PROFUNDO DE TU ALMA, ¡TE GUSTO!

¡MARTIN!

POR AQUÍ, BUÑUELITO. ¿TE IMPORTA SI EMPEZAMOS POR LOS DINOSAURIOS?

¡EH! ¿ES NUESTRA PRIMERA CITA Y YA QUIERES PRESENTARME A TU FAMILIA?

TENDRÁS QUE GRITAR UN POCO. LA ABUELA ESTÁ ALGO SORDA.

¡MENUDO TIPO! TAL VEZ LO HAYA JUZGADO MAL. ES UN BUENAZO, INCLUSO UN POCO SIMPÁTICO...

EEEEEEK

¡GLUB! ¡VALE GRITAR UN POCO, PERO ESO ES DEMASIADO!

¡NO HE SIDO YO!

¡MADRE MÍA! ¡VÁMONOS DE AQUÍ, IRMA!

THUMP

KNIF... KNIF... TÚ... TÚ... ERES...

¡... UNA GUARDIANA! KSSSSS!

¡UNA GUAR-DIANA!

¡ESPERA! ¡NO TE VAYAS!

KSSSS ooo

¡ESPERA!

¿ESTÁS BIEN, CHICA?

¿CÓMO? SÍ, CLARO, AGENTE.

¡AQUELLA... AQUELLA COSA SALIÓ DE LA NADA!

SERÁ MEJOR QUE NOS VAYAMOS, MARTIN.

¡UAU! ¿LO HAS VISTO? ¡ERA... ERA UNA ESPECIE DE REPTIL!

ERA ALGO MÁS, AMIGO MÍO...

AL DÍA SIGUIENTE, EN EL INSTITUTO SHEFFIELD...

¿ESTÁS SEGURA?

HAY LIN, SI NO ERA UNO DE LOS HABITANTES DE MERIDIAN SE LES PARECÍA MUCHÍSIMO.

LA TELEVISIÓN Y LOS PERIÓDICOS NO SE LO HAN TOMADO EN SERIO. HABLAN DE UNA ESPECIE DE ALUCINACIÓN COLECTIVA.

SI LA HA RECONOCIDO COMO UNA GUARDIANA, ¡ESTÁ CLARO!

¿TENÉIS ALGO QUE HACER DESPUÉS DE CLASE?

YO DEBERÍA PONERME DELANTE DE LOS LIBROS. EN LAS ÚLTIMAS SEMANAS NO HE ESTUDIADO MUCHO...

¡VAYA! ¿NO ERAS TÚ LA QUE PODÍA CONTROLAR LAS PREGUNTAS CON EL PENSAMIENTO?

CORNY, ¿POR QUÉ NO TE CALLAS?

¿QUÉ ESTÁS PENSANDO, WILL?

SÓLO QUIERO SABER POR QUÉ ESTABA ALLÍ DENTRO UNA DE ESAS CRIATURAS.

LA RESPUESTA TE LA PUEDO DAR YO. MIRAD ESTO UN MOMENTO.

¡EL MAPA DE LOS PORTALES! GUÁRDALO EN UN SITIO MÁS SEGURO.

¡NO HAY NADA MÁS SEGURO QUE MI MOCHILA!

¡CARAMBA! ¡MIRAD AQUÍ!

DATE POR SATISFECHA, WILL. ¡EN EL MUSEO DE HEATHERFIELD ESTÁ OTRO DE LOS DOCE PORTALES DE LA MURALLA!

MUSEUM

¿PUEDO SABER QUE ES ESO TAN INTERESANTE QUE ESTÁN MIRANDO, SEÑORITAS?

BUENO... NO ES NADA.

SABÍA QUE TU PASIÓN ERA EL DIBUJO, PERO ESTO ES UNA **OBRA DE ARTE.** ¿ME LO DAS?

¡NO!

¿EH?

EJEM... ES SÓLO UN BOCETO. USTED SE MERECE UNO MÁS BONITO.

DE ACUERDO, HAY LIN. **LO ESPERO.** QUEDARÁ PRECIOSO EN MI DESPACHO.

¡QUÉ PELOTA! SE MERECE UNO MÁS BONITO, ¿EH?

DEBERÍAS DARME LAS GRACIAS. ¡SI HUBIERA DESCUBIERTO NUESTRO MAPA SERÍA MUCHO PEOR!

FIIIU...

SI HUBIERA DESCUBIERTO EL MAPA HABRÍA SIDO POR TU CULPA. TENEMOS QUE GUARDAR MEJOR NUESTROS SECRETOS.

¡AY! ¡RECIBIDO!

ENTONCES ¿ESTAMOS DE ACUERDO? EL MUSEO CIERRA A LAS SEIS...

PERO NO SON LOS ÚNICOS QUE TIENEN UN PLAN ESPECIAL.

¡VÍA LIBRE, WILL! ¡NADIE A LA VISTA!

¡BIEN! ¡AHORA JUNTAOS!

¿POR DÓNDE ENTRAMOS?

¡POR LAS VENTANAS DE ATRÁS!

¿HAS PENSADO EN LAS ALARMAS?

¡CLARO! ¡RECUERDA QUE MI PODER FUNCIONA CON LOS ELECTRODOMÉSTICOS!

"BASTARÁ CON DECIRLES ALGO".

ESTÁIS AQUÍ POR LAS APARICIONES, ¿EH? PERO VOSOTRAS NO SOIS DE LA POLICÍA...

NO... PERO TAL VEZ PODAMOS RESOLVER EL PROBLEMA.

¡HUM...! ESTÁ BIEN, ENTRAD. ¡PERO NADA DE BROMAS!

¡QUÉ DESCONFIADA!

ES UNA ANTIRROBO. SÓLO HACE SU TRABAJO.

¿DE VERDAD PODEMOS?

¡PASAD, PASAD! ¡CERRARÉ EL OJO!

¡YA ESTÁ! ¡AQUÍ ES DONDE SUCEDIÓ!

¿SIENTES ALGO?

ME PARECE QUE NO.

SIN EMBARGO, EL PORTAL DEBE DE ESTAR EN ALGUNA PARTE. PRUEBA A CONCENTRARTE MEJOR.

OH, NO...

¿QUÉ PASA?

VENID A VER ESTE CUADRO...

"ETERNA PRIMAVERA" ELIAS VAN DAHL

LA ETERNA PRIMAVERA, DE ELIAS VAN DAHL...

MIRAD AQUEL GRUPO DE GENTE. ALLÍ, JUNTO A AQUELLA CASA...

¡ES INCREÍBLE! SI NO ES ELLA SE LE PARECE MUCHÍSIMO.

¡ES ELYON!

¡ESTOY DETRÁS DE VOSOTRAS, CHICAS!

AL PARECER, VOLVEMOS A ENCONTRAR-NOS, AMIGAS MÍAS...

¡TÚ!

¡...Y ESTA VEZ SERÁ PARA DE-CIRNOS ADIÓS!

¡CLAK!

¡AH!

BUEN GOLPE, ELYON.

CLAP CLAP

VOY MEJORANDO, ¿VERDAD? YO TAMBIÉN TENGO PODERES... ¡SOY MÁS FUERTE QUE TODAS VOSOTRAS JUNTAS!

PERO, ÉSE ES...

CEDRIC, EL CHICO DE LA LIBRERÍA. LO CONOCISTEIS ASÍ, PERO...

¡... OS LO HABÉIS ENCONTRADO TAMBIÉN DE ESTE MODO! ¿SORPRENDIDAS?

YO LO ESTABA AL PRINCIPIO. PERO CEDRIC ME HA CONTADO MUCHAS COSAS.

¿QUÉ TE HA PASADO, ELYON? ¡TÚ... TÚ YA NO ERES LA MISMA!

¡AH! MIRA QUIÉN HABLA. DEBERÍAS MIRARTE AL ESPEJO, WILL. ¡POR SI NO TE HAS DADO CUENTA, TIENES UN PAR DE ALAS EN LA ESPALDA!

¡ABRE LOS OJOS, ELYON! ¡OLVIDA ESTO! ¡HEATHERFIELD ES TU HOGAR!

¡TE EQUIVOCAS, WILL! ¡PERTENEZCO A MERIDIAN!

¡Y NUESTRO MUNDO TE PERTENECE A TI, LUZ DE MERIDIAN! ¡Y A TU HERMANO PHOBOS.

¿PHOBOS?

ES UNA LARGA HISTORIA, CHICAS. UNA HISTORIA QUE EMPIEZA HACE MUCHO TIEMPO, CUANDO MI PADRE Y MI MADRE GOBERNABAN MERIDIAN...

¿QUÉ... QUÉ ESTÁS DICIENDO, ELYON?

¡LA PURA VERDAD! FUE CEDRIC QUIEN ME ABRIÓ LOS OJOS. ¿RECORDÁIS AQUELLA TARDE DESPUÉS DE LA FIESTA DE HALLOWEEN?

"CEDRIC ME HABÍA INVITADO A SU LIBRERÍA. PENSÉ QUE QUERÍA CONOCERME".

92

"...PERO ÉL YA LO SABÍA TODO SOBRE MÍ".

ABRE LOS OJOS, ELYON...

...PORQUE LO QUE VOY A ENSEÑARTE ES UNA HISTORIA INCREÍBLE. ¡TU HISTORIA!

"DE PRONTO, TODO LO QUE ME HABÍAN OCULTADO ILUMINÓ MI MENTE. POR FIN SABÍA QUIÉN ERA".

...Y POR FIN SABÍA TAMBIÉN QUIÉNES ERAIS VOSOTRAS. ¡LAS GUARDIANAS DE LA MURALLA! ¡LAS ENEMIGAS DE MERIDIAN!

¿LAS ENEMIGAS? ¡NO SÉ QUÉ HISTORIAS TE HABRÁ CONTADO CEDRIC, PERO ÉSA NO ES LA VERDAD!

¡HUM...!

¡GLUB!

¡EXCELENTE, ELYON! ¡REALMENTE EXCELENTE!

¡EL PRÍNCIPE PHOBOS ESTARÁ SATISFECHO!

SÍ, QUERIDO VATHEK. ¡ESAS CINCO MOCOSAS YA NO SON UN PROBLEMA!

ESTA VEZ NADA PODRÁ SALVARLAS ENCERRADAS EN ESTE CUADRO.

FUERA DEL MUSEO...

¡MIRAD, GENTE! ¡LA HAN DEJADO ABIERTA!

¡SÍ! ¡POR ESO HAY ROBOS EN LOS MUSEOS!

97

NO SÓLO ESTOS CHICOS ESTÁN EN APUROS. HACE POCO LAS W.I.T.C.H. ERAN UNAS DE LAS CRIATURAS MÁS PODEROSAS...

... CINCO CHICAS CAPACES DE GOBERNAR LA FUERZA DE LOS ELEMENTOS CON SÓLO DESEARLO.

PERO LAS COSAS CAMBIAN MUY DEPRISA, PORQUE AHORA WILL, IRMA, TARANEE, CORNELIA Y HAY LIN NO PUEDEN HACER NADA...

... PORQUE ESTÁN PRISIONERAS DENTRO DE UN CUADRO.

¡APARTAD! ¡DEJAD PASO!

¡RAYOS... ME PARECE QUE TENEMOS UN PROBLEMA!

¡JA! ¡JA! ¡JA!

¡JA! ¡JA! ¡JA!

¡JA! ¡JA! ¡JA!

¿SOIS ARTISTAS? ¿DÓNDE ESTÁ VUESTRO CARROMATO?

¡SÍ! DEBEN DE SER ARTISTAS. ¡MIRA CÓMO VISTEN!

¡SEGURO QUE MÁS A LA MODA QUE VOSOTRAS! ¡PODÉIS APOSTAR!

VÁMONOS, IRMA...

VOLVAMOS A NUESTRO VERDADERO ASPECTO. ASÍ LLAMAMOS DEMASIADO LA ATENCIÓN.

¡VALE! ¡CAMBIEMOS!

P-PERO...

¡NO OCURRE NADA! ¿POR QUÉ NO NOS HEMOS TRANSFORMADO?

¡MIS PODERES... YA NO FUNCIONAN!

¿PODERES? ¿DE QUÉ ESTÁN HABLANDO?

DEBEN DE SER ILUSIONISTAS...

... O PEOR AÚN... ¡BRUJAS! ¡CAPTURÉMOSLAS!

101

¡LAS TENEMOS, CAPITÁN!

¡SUÉLTAME INMEDIATAMENTE, GORILA!

¿QUÉ SERES SON, SEÑOR? ESTAS ALAS...

¡... SON DE VERDAD!

¡INCREÍBLE!

¡LLEVADLAS AL PALACIO DE LA GUARDIA! ¡YO IRÉ A INFORMAR AL CAMARLENGO EN SEGUIDA,...!

NO HAY NINGUNA PRISA, CAPITÁN VON SCHLIEGE,...

EL PALACIO DE LA GUARDIA NO ES EL LUGAR ADECUADO PARA CINCO CHICAS TAN AGRADABLES...

¡USTED!

¿HAS OÍDO, CARA PELUDA? ¡QUÍTAME TUS ZARPAS DE ENCIMA INMEDIATAMENTE!

¿PUEDO LLEVÁRMELA A ELLA? ¡DE AGRADABLE NO TIENE NADA!

¡NADA DE ESO, CAPITÁN! INFORME AL CAMARLENGO DE QUE AHORA SON MIS INVITADAS.

PERO SEÑOR VAN DAHL...

GRACIAS POR SU AYUDA, MISTER...

¡JE! ¡JE! ¡JE! ¡LLAMADME SIMPLEMENTE ELÍAS!

¡CON DOS PALABRAS HA PUESTO A RAYA A ESOS SOLDADOS! ¡DEBE DE SER UN HOMBRE IMPORTANTE, ELÍAS!

DIGAMOS QUE NO SÉ SI ME TEMEN O ME RESPETAN.

SIN EMBARGO, SEGURAMENTE ME DEBEN MUCHO PORQUE, VERÉIS... ¡ESTE CIELO, ESTA CIUDAD, ESTA GENTE...!

¡...LOS HE CREADO YO!

!

MIENTRAS TANTO, EN EL MUSEO DE HEATHERFIELD...

... UN CUARTETO DE CHICOS ACABA DE ENCONTRAR LO QUE ANDABA BUSCANDO.

¡AAAAAH!

¡A-ATRÁS!

¡ESCAPA! ¡ESCAPA! ¡ESCAPA!

¡ERES GRACIOSO, MOCOSO! ¡PERO PARA IMPRESIONARME HACE FALTA ALGO MÁS QUE ESTE PALILLO DE DIENTES!

¡AH!

!

¡CORRE, KURT! ¡CORRE!

¿Y DEJAMOS QUE SE VAYAN ASÍ? ¡NOS HAN VISTO!

NO TE PREOCUPES POR ELLOS, VATHEK. SON INOFENSIVOS...

...PODEMOS VOLVER A MERIDIAN. ¡NUESTRA MISIÓN AQUÍ HA TERMINADO!

ELYON TIENE RAZÓN, QUERIDO VATHEK. QUE CORRAN. QUE GRITEN A LOS CUATRO VIENTOS LO QUE HAN VISTO...

¡... NUNCA LES CREERÁ NADIE!

FWOOOSH

106

"ACERCAOS..."

NO TENGÁIS MIEDO.

YO VIVO AQUÍ. NO ES MUY GRANDE, PERO A MÍ ME GUSTA. TIENE UNA BONITA VISTA DE LA CATEDRAL.

¡CUÁNTOS CUADROS! ¿ES PINTOR?

HACE MUCHO TIEMPO QUE NO PINTO. HOY SÓLO CONSIGO HACER ESTO...

...SOMBRAS... FIGURAS INCOMPLETAS... ¡SIN MIS COLORES TODO ES INÚTIL!

¿LOS QUE TIENE NO LE SIRVEN?

¡ÉSTOS SON SÓLO UNA ILUSIÓN! TODO LO QUE NOS RODEA NO EXISTE REALMENTE. ÉSE ES EL MALEFICIO DE PHOBOS...

...UN MALEFICIO QUE HA CAÍDO TAMBIÉN SOBRE VOSOTRAS. ¿QUÉ HABÉIS HECHO PARA MERECER ESTE CASTIGO?

¿OS HABÉIS ATREVIDO A MIRARLO? ¿HABÉIS VISTO SU MORADA?

BUENO... ES UNA LARGA HISTORIA...

¡TENÍAMOS QUE SALVAR AL MUNDO PERO ÉL Y ELYON NO QUIEREN!

¿ESO ES TODO?

SI TENGO EL DON DE LA SÍNTESIS, NO ES CULPA MÍA.

SOMOS LAS GUARDIANAS DE KANDRAKAR.

¡LAS LEGENDARIAS GUARDIANAS DE LA MURALLA! VUESTRO NOMBRE DA MIEDO EN MERIDIAN.

PARA SER CRIATURAS MILENARIAS, PARECÉIS JÓVENES.

¡SOMOS JÓVENES! SOMOS LAS NUEVAS.

¡ESO YA SE VEÍA!

ESTAMOS PRISIONERAS EN ESTE CUADRO Y NUESTROS PODERES NO SIRVEN.

AIRE, AGUA, TIERRA Y FUEGO, ¿EH? ES NORMAL...

...TODO LO QUE ES REAL NO EXISTE AQUÍ. PRONTO DESCUBRIRÉIS QUE NO SENTÍS HAMBRE, NI SED, NI SUEÑO...

¿CÓMO SABE TODAS ESAS COSAS? ¿QUIÉN ES EN REALIDAD?

YA DEBERÍAIS HABERLO COMPRENDIDO...

YO SOY EL QUE PINTÓ TODO ESTO. ELIAS VAN DAHL... PINTOR DE LA CORTE DE MERIDIAN...

¡AL MENOS, HASTA QUE PHOBOS QUISO!

"DURANTE MUCHO TIEMPO TRABAJÉ PARA LA FAMILIA REAL. CUANDO DESAPARECIERON LA REINA Y EL REY, PHOBOS SUBIÓ AL TRONO..."

LA VIDA NUNCA HA SIDO FÁCIL EN MERIDIAN, PERO EL PRÍNCIPE LA HIZO IMPOSIBLE.

"OBSESIONADO POR EL CULTO A SÍ MISMO, ORDENÓ DESTRUIR TODAS SUS IMÁGENES..."

PHOBOS

"ENCERRADO EN SU CASTILLO, PHOBOS SÓLO SE MANIFESTABA A TRAVÉS DE SUS FIELES MURMURANTES".

"ASÍ FUE COMO YO, POBRE PINTOR DE LA CORTE, ME ENCONTRÉ EN LA LISTA DE SUS ENEMIGOS".

DECIDÍ MARCHARME DE LA CIUDAD ATRAVESANDO UNO DE LOS PORTALES Y ALEJÁNDOME A OTRA DIMENSIÓN...

... EN OTRO TIEMPO.

CON UN HECHIZO LLEGUÉ AL PASADO DE VUESTRO MUNDO, A UNA ÉPOCA EN QUE LOS ARTISTAS ERAN APRECIADOS.

¿HA VIAJADO EN EL TIEMPO?

LLEGUÉ A LA EUROPA DEL SIGLO XVII Y ALLÍ ENCONTRÉ LA FELICIDAD.

"TENÍA UNA NUEVA IDENTIDAD Y UNA NUEVA VIDA. PODÍA PINTAR, SOÑAR, ESPERAR..."

"... Y, COMO TODOS, PODÍA AMAR".

¡PERO PHOBOS NO ME PERDONÓ EL HABER PODIDO RETRATARLO! ¡SUS SECUACES ME BUSCARON Y ME ENCONTRARON!

"MI ÚNICO DELITO ERA HABERLO RETRATADO Y POR ESO FUI CONDENADO..."

¡... YA QUE TE GUSTA TANTO TU TRABAJO, PINTOR, PASARÁS EL RESTO DE TU EXISTENCIA EN UNA DE TUS OBRAS MAESTRAS!

"SU TÍTULO IBA A SER LA ÚLTIMA LÁGRIMA. HABÍA IMAGINADO UNA HISTORIA PARA AQUEL CUADRO..."

"LA DE UN PUEBLO FELIZ, DONDE NADIE LLORABA DESDE HACÍA SIGLOS".

"SOBRE LA ÚLTIMA LÁGRIMA, CONSERVADA EN UN FRASCO, SE HABÍA CONSTRUIDO LA CATEDRAL".

"Y AHORA, EN AQUEL LUGAR ALEGRE, SIEMPRE ERA FIESTA. ¡LA ETERNA PRIMAVERA!"

¿Y LA MUJER DEL CUADRO?

NI SIQUIERA PUDE DECIRLE ADIÓS. Y POR ESO NUNCA DEJARÉ DE SUFRIR.

SI AL MENOS... SI AL MENOS... SI AL MENOS PUDIERA PINTARLA...

LO HARÁ, ELÍAS. NOSOTRAS LE AYUDAREMOS A DILUIR ESOS COLORES SECOS.

¿Y... CÓMO?

TAL VEZ LA PREGUNTA LE PAREZCA BANAL, PERO... ¿USTED CREE EN LA MAGIA?

¿SON USTEDES LOS PADRES DE LOS CHICOS?

¡BUENAS TARDES, JUEZ!

ÉSTE ES NUESTRO ABOGADO...

¡MI URIAH ES INOCENTE, SEÑORÍA! ¡SON LAS MALAS COMPAÑÍAS LAS QUE LO HAN ARRASTRADO A HACER ESTO!

¡CÁLMESE, SEÑORA! DÉJEME HABLAR A MÍ...

NO, ABOGADO, HABLO YO. URIAH Y SUS AMIGOS HAN HECHO UNA GAMBERRADA QUE PODRÍA COSTARLES MUY CARA...

PERO NO QUIERO COMPLICARLE LA VIDA A NADIE. MI HIJA TIENE CASI LA EDAD DE ESOS CHICOS. VAN AL MISMO COLEGIO.

NO IRÁN A LA CÁRCEL, ¿VERDAD?

NO. EL CUADRO DAÑADO ERA UNA COPIA. EL ORGINAL ESTÁ EN RESTAURACIÓN...

YA HE HABLADO CON EL DIRECTOR DEL MUSEO, Y ESTÁ DISPUESTO A RETIRAR LA DENUNCIA...

¡QUÉ ALIVIO!

PERO ESO NO SIGNIFICA QUE VAYAN A QUEDARSE SIN CASTIGO...

OHHH...

¡SON ELLAS!

¡QUÉ DESCARO!

SERENAD VUESTRO ÁNIMO. ESTAS CHICAS SON AMIGAS NUESTRAS. ¡HAN VENIDO PARA AYUDARNOS!

AL MENOS ESO ES LO QUE HABÉIS DICHO...

¡ES SÓLO UNA IDEA, ELIAS, PERO...

...LO BASTANTE ABSURDA PARA QUE FUNCIONE!

LA INMOVILIDAD ES LA CARACTERÍSTICA PRINCIPAL DE ESTE MUNDO. VIVIMOS EN UN INSTANTE QUE NO PASA NUNCA...

¡CAMBIÉMOSLO! ¡NOS ENFRENTAREMOS AL MALEFICIO DE PHOBOS!

¡PERO YA NO TENÉIS VUESTROS PODERES!

¡NO NECESITAMOS LOS PODERES! ¡EN REALIDAD HACE FALTA MUY POCO!

HASTA AHORA HA TRATA-DO DE DILUIR LOS COLO-RES CON EL AGUA DEL POZO...

ASÍ ES.

BIEN. HOY UTILIZARÁ LA LÁGRIMA ENCE-RRADA EN EL FRASCO... Y TAL VEZ LAS COSAS EMPIECEN A CAMBIAR.

¡LA PUER-TA ESTÁ ATRANCA-DA!

¡EH, VOSOTROS! ¡VENID A AYUDARNOS A EMPUJAR!

¡!

UN MUNDO INCAPAZ DE CAMBIAR ES UN MUNDO SIN ESPERANZA, ¿NO?

EXACTAMENTE, ELIAS. TAL VEZ NO SUCEDA NADA, PERO, DIABLOS...

...¿POR QUÉ NO INTENTARLO?

TUMP

¡NO ES POSIBLE!

TUMP

¡ESAS CRÍAS ESTÁN EMPEZANDO A AGOTAR MI PACIENCIA!

¿ALGO VA MAL, LORD CEDRIC?

¡TODO VA MAL! ¿POR QUÉ TIENE QUE SER TODO TAN TERRIBLEMENTE COMPLICADO?

¡ANTES, CUANDO LA GENTE CAÍA BAJO UN MALEFICIO SE QUEDABA QUIETA EN UN RINCÓN HASTA EL FIN DE SUS DÍAS!

¿QUÉ ES TODA ESA ARROGANCIA DE AHORA?

ES VERDAD, SEÑOR. LA GENTE ES TAN MALEDUCADA, ¿QUIERE QUE ME OCUPE DE ELLO?

¡YAP! ¡LO HEMOS CONSEGUIDO!

¡OUFF!

¡NO, VATHEK! SÉ DE OTRO QUE ESTÁ ANSIOSO POR SALDAR CUENTAS CON ESAS BRUJAS...

SVLAN

¡UAU...! ¡REALMENTE IMPRESIONANTE!

¡ES INCREÍBLE! SIEMPRE HE PINTADO EL EXTERIOR. ¡ÉSTA ES LA PRIMERA VEZ QUE LA VEO POR DENTRO!

¡ES PRECIOSA!

¡Y ÉSTE DEBE DE SER EL FRASCO CON LA ÚLTIMA LÁGRIMA! CÓJALA, ELIAS...

... CÓJALA Y UTILÍCELA PARA SUS COLORES.

¡NO LE HAGA CASO, ELIAS...!

¡... YO EN SU LUGAR NO LO HARÍA!

¡ES FROST EL CAZADOR!

FWAAAM

PE... PE-RO...

¡ESTO PRUEBA QUE NO ME EQUIVOCA-BA! ¡PODEMOS CONSE-GUIRLO! ¡PODEMOS ROM-PER EL MALEFICIO!

¡HAGA LO QUE LE HE DICHO! ¡CORRA A CASA A DILUIR SUS COLORES!

¡VAYA DEPRISA! ¡NOSOTRAS NOS OCUPAREMOS DE ÉL!

121

¡BUENA IDEA, IRMA! ¿CÓMO PIENSAS OCU-PARTE DE ESE BESTIA EXACTA-MENTE?

¡TU PROBLEMA, CORNELIA, ES QUE ERES DEMASIADO FORMALISTA!

¡DEL PINTOR ME OCUPARÉ DESPUÉS! ¡HE VENIDO A POR VOSOTRAS! ESCAPASTEIS UNA VEZ...

¡NO ES POR CON-TRADECIRLE, PERO ESTA VEZ TAMBIÉN ESCAPAREMOS...!

KKRAAM

¡NO!

¡FUERA, RÁPIDO! ¡DÉJEMOS QUE NOS SIGA!

¡A GALOPE, CRIMSON! ¡CAPTURÉMOSLAS!

¿DEJAR QUE NOS SIGA? ¡ESE TIPO NOS COGERÁ EN UN MOMENTO!

TA-DOOM TA-DADOOM

¡QUIZÁ NO, CORNELIA...!

¡...FROST ESTÁ DEMASIADO OCUPADO ASUSTÁNDONOS COMO PARA ACORDARSE DE BAJAR LA CABEZA!

KRONG

UHHHH...

¡UH-OH...! ¿NO NOS HABREMOS PASADO?

¡EH! ¡SE LO HA HECHO ÉL SOLO!

GRRR... ESTA BROMA OS COSTARÁ MUY CARA...

SPLAT

!

¡IRMA!

¡YO NO HE SIDO!

¡HEMOS SIDO NOSOTROS! ¿NO ES USTED MUY MAYOR PARA TOMARLA CON CINCO CHICAS?

!

¡NO QUEREMOS PROBLEMAS EN NUESTRO PUEBLO! ¿POR QUÉ NO SE VA?

¡NO OS PONGÁIS CONTRA MÍ! ¡NO SABÉIS QUIÉN SOY...!

¿NO HA OÍDO LO QUE HA DICHO MI SOLDADO?

¡SE LO HA PEDIDO POR LAS BUENAS, PERO SI PREFIERE POR LAS MALAS, NO TIENE MÁS QUE DECIRLO!

¡FUNCIONA!

¡FUNCIONA!

¿EH?

¡FUNCIONA, CHICAS! ¡LA LÁGRIMA HA DISUELTO EL COLOR!

CUANDO OS VAYÁIS, ESTE CUADRO VOLVERÁ A SER UN CUADRO.

NOSO-TRAS...

CUMPLID CON VUESTRO DEBER, GUARDIANAS.

PE-PERO...

OS LO PIDO POR FAVOR.

¡DE ACUERDO!

ADIÓS, ELIAS.

ADIÓS, CHICAS.

¡CORAZÓN DE KANDRAKAR...!

¡...LLÉVANOS A CASA!

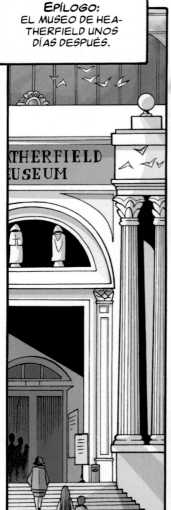

EPÍLOGO:
EL MUSEO DE HEA-
THERFIELD UNOS
DÍAS DESPUÉS.

...Y CUANDO ACABÉIS DE LIMPIAR EL PASILLO, OS ESPERA EL ANQUILOSAURIO DEL ALA OESTE.

PERO, SEÑOR DIRECTOR, ¡LE QUITAMOS EL POLVO AYER!

¿NO HABÉIS OÍDO HABLAR DEL POLVO DE LOS SIGLOS? ESE ANIMAL TIENE MILLONES DE AÑOS...

... QUE DIVIDIDOS POR CIEN AÑOS SON... MMM...

¡OH! ¿CUÁNTO DA MILLONES DE AÑOS DIVIDIDO POR UN SIGLO?

¡TRES MESES, KURT! ¡LOS QUE VAMOS A PASAR AQUÍ DENTRO!

127

NO TE QUEJES, URIAH. LA JUEZ HA SIDO BENÉVOLA. NO NOS HA CASTIGADO MUCHO.

¡CLARO! ¡LAS PRÓXIMAS NOVENTA TARDES VAN A SER MUY DIVERTIDAS!

¡AL DIABLO LOS SERVICIOS SOCIALES! ¡Y AL DIABLO TAMBIÉN LA JUEZ COOK!

¡EH! ¿ÉSA NO ES SU HIJA?

¡NI SE TE OCU-RRA! ¡ELLA NO TIENE NADA QUE VER CON LO QUE HA PASADO!

¿QUIÉN HA DICHO NADA?

HOLA...

¡HOLA!

¿DE VISITA CULTURAL, BELLEZAS?

NO, URIAH...

...HEMOS VENIDO A VER A UN AMIGO...

Las WITCH han vuelto a vencer a Lord Cedric, pero ¿hasta cuándo podrán contener su maléfico poder?

DE ILUSIONES Y MENTIRAS

A veces las palabras no bastan para expresar un sentimiento...

¡EL PRÍNCIPE PHOBOS EN PERSONA!

QUERÍA HABLAR CON UN OFICIAL DE MÉRITO.

¿LOS METAMUNDESES QUIEREN LLEGAR A LA TIERRA? BIEN, TÚ LES AYUDARÁS.

¿QUÉ? ¿POR QUÉ RAZÓN?

¿CREES QUE MIS RAZONES NO SON SUFICIENTES?

¡AAAH! ¡N-NO! ¡PERDÓN, PRÍNCIPE!

HHAAT'Zz

¡USA UN INFILTRADO! ¡QUE DIGA A LOS FUGITIVOS QUE LAS GUARDIANAS SON PELIGROSAS!

¡ABRE EL PASADIZO A LOS FUGITIVOS Y DEBILITA EL PODER DE LAS TERRESTRES!

¡LO HARÉ!

¡BIEN! ¡QUE SE CREE UNA GRIETA EN LA MURALLA! ¡Y QUE SEA IRREPARABLE!

EN EL PALACIO DE LOS DEPORTES DE HEATHERFIELD...

¡ÁNIMO, WILL! ¡DOS BRAZADAS MÁS!

¡SÍÍÍ!

FRUUUSH

¡MUY BUEN TIEMPO! ¡REALMENTE BUENO!

¡UFF! ¡GRACIAS, VERA! SIN TI NO LO HABRÍA CONSEGUIDO.

CONTIGO ME SIENTO EN FORMA. PERO ¿VAS A IRTE?

SOY LA SUPLENTE, TARDE O TEMPRANO ME IRÉ. PERO HABLEMOS DE TI.

TE HE INSCRITO PARA EL CAMPEONATO INTERREGIONAL.

¿EN SERIO?

133

¡AYÚDAME TÚ A COMPRENDER POR QUÉ!

TIENES QUE ESTUDIAR. ¡HAS SUSPENDIDO DEMASIADAS ASIGNATURAS!

TE LO HA DICHO COLLINS, ¿VERDAD? ESE... ESE...

ESE RESPETABLE PROFESOR TUYO DE HISTORIA, QUE TAMBIÉN ES UN BUEN AMIGO MÍO.

¡ME HUMILLA DELANTE DE MIS AMIGAS! ¡Y AHORA HACE DE ESPÍA!

¡YA BASTA, WILL!

HABRÍA MEJORADO LAS NOTAS ANTES DE LA ENTREVISTA CON LOS PADRES...

SBAM

A LA MAÑANA SIGUIENTE, DELANTE DEL INSTITUTO SHEFFIELD...

¿POR QUÉ? ¿POR QUÉ...

... LE HABRÉ DICHO A LA PROFE DE BIOLOGÍA QUE ME ENCANTA LA FOTOGRAFÍA?

"TARANEE, FOTOGRAFÍA TRES INSECTOS Y PREPARA UNA BONITA REDACCIÓN".

136

SÓLO HAY UN PEQUEÑO PROBLEMA: ¡ME DAN HORROR!

¡Y CON EL ZOOM PARECEN MÁS GRANDES!

¡UNA MARIPOSA! ¡MI SALVACIÓN!

QUIETA, QUIETITA, BELLA MARIPOSITA. QUIETA, QUIETITA, NO MUEVAS LAS ALITAS...

FRUSH

¡URIAH!

MIRA QUIÉN ES. ¡LA HIJA DE LA JUEZ!

¿QUÉ QUIERES?

¡DECIRTE QUE, POR CULPA DE TU MADRE, TENDREMOS UN AÑO DE SERVICIOS SOCIALES EN EL MUSEO!

¡TENEMOS QUE BARRER EL SUELO, QUITAR EL POLVO Y FREGAR!

VÁMONOS. LLEGAN LOS ESTUDIANTES.

¡CÁLLATE, NIGEL! ¡SÓLO QUIERO QUE ESTA CHICA VEA QUIÉN MANDA!

ELLA Y SU FAMILIA HAN LLEGADO HACE POCO Y...

¡LA ESCALERA ESTÁ LLENA DE GENTE!

¿LLENA DE GENTE? ¿TE HAS VUELTO **LOCO**? ¡SÓLO ESTÁ ESA CRÍA!

DESDE AQUÍ, ME HA PARECIDO...

¿TODO BIEN, TARANEE?

AHORA SÍ, HAY LIN.

YA HABLAREMOS EN OTRO MOMENTO.

¿QUÉ QUERÍAN?

HACERSE LOS DUROS. PERO AHORA TENGO OTRO PROBLEMA...

¿CÓMO ENCUENTRO AHORA...

...A MI MARIPOSA?

¿QUÉ HA PA-SADO, CHICAS? HE VISTO A URIAH QUE SE ALE-JABA.

NADA GRAVE, WILL. ¿CÓMO LLEGAS TAN PRONTO?

SIEMPRE LLEGO TARDE A HISTORIA. ESTA VEZ NO QUIERO DARLE MOTI-VOS PARA QUE ME RIÑA.

¿TE REFIERES A COLLINS?

¡EXACTO! LA ANTIPA-TÍA ENTRE NOSOTROS NO ES UN SECRETO...

BUENOS DÍAS, CHICOS. PONEOS CÓMODOS.

GRACIAS, PROFE-SOR, NO PENSABA CAMBIAR DE POS-TURA.

ERA UN DECIR, LIPSTIZ. QUITA LOS PIES DE LA MESA Y DIME DÓNDE ESTÁ WILL VANDOM.

HA IDO AL BAÑO. USTED NO LLE-GABA Y...

EL HECHO DE QUE YO LLEGUE TARDE NO JUSTIFICA LA SALIDA SIN PERMISO.

PERO, SI USTED NO ESTÁ, ¿A QUIÉN LE PEDIMOS PERMISO?

¡LIPSTIZ, VAYA A HABLAR CON LA DIRECTORA KNICKERBOCHER!

COMO USTED QUIERA. HOY TIENE EL DÍA TORCIDO, ¿EH?

¡OH, NO! SI A LIPSTIZ LE ECHAN DE CLASE, COLLINS ESTÁ DENTRO.

HOY HE LLEGADO ANTES Y ME REGAÑARÁ IGUAL...

SEÑORITA VANDOM, ME ENCANTA VERLA DE VEZ EN CUANDO.

?

¿QUÉ TE PASA, WILL?

N-NADA, CORNELIA. NO ME PASA NADA.

CUANDO HE PASADO AL LADO DE COLLINS, ME HA DADO UN VACÍO.

SERÁ DE SUEÑO O DE HAMBRE.

ERA LA SENSACIÓN QUE TENGO CERCA DE UN PORTAL O DE UN SER DE MERIDIAN.

¿VOSOTRAS PENSÁIS LO MISMO QUE ELLA?

WILL, RECONOCE QUE ES UNA EXTRAÑA COINCIDENCIA.

DIJISTE QUE AYER COLLINS HIZO DE ESPÍA PARA TU MADRE.

SÍ... ES RARO, PERO, POR UNA VEZ, LA SEÑORITA CORNY SABELOTODO TIENE RAZÓN.

SI ESO ES LO QUE CREÉIS, NO HAY MÁS QUE DECIR.

NO PODEMOS. ESTÁ ALTERADA.

ESTÁ DESCONCERTADA. SOMOS LAS GUARDIANAS...

¡WILL! ¡ESPERA!

DEJA QUE SE VAYA, TARANEE.

...PERO NO POR ESO HAY QUE VER PELIGROS EN TODAS PARTES.

PROFESOR COLLINS, ESTA ALA DE LA ESCUELA ESTÁ PROHIBIDA.

...TENGO LA SENSACIÓN DE HABERLE DICHO YA ALGO PARECIDO.

TRABAJAS DEMASIADO, BERTOLD.

PERO... ¿QUÉ HAGO YO AQUÍ?

¿QUÉ HAGO YO AQUÍ?

¡ODIO HEATHERFIELD! NO QUERÍA VENIR. Y MAMÁ SIEMPRE LO SUPO.

¡MATT! SOLO ÉL HACE SOPORTABLE ESTA CIUDAD.

AL MISMO TIEMPO, EN EL OTRO LADO DE LA CIUDAD...

SEÑOR, HE IDO A LOS SUBTERRÁNEOS DE MERIDIAN Y ME HE INFILTRADO ENTRE LOS REBELDES.

CUÉNTAME, VATHEK. DIME CÓMO VAN LAS COSAS.

LES HE DICHO QUE OS HE TRAICIONADO. PERO NO TODOS ME HAN CREÍDO.

CONTINÚA.

SE HAN DIVIDIDO EN GRUPOS Y ALGUNOS ESTÁN A MIS ÓRDENES.

¿AH, SÍ? MUY EFICIENTE, VIEJO.

SON POCOS Y ESTÁN DESESPERADOS. CREERÍAN A CUALQUIERA.

NO DEJES QUE TE CONMUEVAN. RECUERDA QUIÉN ES TU AMO.

NO LO OLVIDO. SÓLO ME PREGUNTO POR QUÉ HAY QUE ENGAÑARLOS.

¡LES ESTAMOS DANDO LA POSIBILIDAD DE INVADIR LA TIERRA!

148

TAMBIÉN LES AYUDAMOS. ¡ESTOY DEBILITANDO A LAS GUARDIANAS!

¿PUEDO SABER CÓMO?

MINANDO LOS AFECTOS DE LA GUARDIANA DEL CORAZÓN DE KANDRAKAR.

NO HA SIDO DIFÍCIL CONFUNDIRLA. LLEGADO EL MOMENTO, NO PODRÁ AYUDAR A SUS AMIGAS.

PERO EL PLAN DE ELYON ES MUCHO MÁS BRILLANTE.

¿MI INTERVENCIÓN SIGUE PREVISTA PARA ESTA NOCHE?

Ye Olde Book Shop

SÍ, VATHEK. ¡AUMENTA LA RABIA DE TUS SECUACES! ¡ENSÉÑALES A ODIAR A LAS GUARDIANAS!

DEJAREMOS PARA ELLOS LA TAREA DE ANIQUILARLAS.

¿HAS OÍDO? VAMOS A VER SI HAY ALGO MÁS ORIGINAL...

HOLA, WILL. SOY VERA. TENGO NOTICIAS PARA TI. VEN A LA PISCINA CUANDO PUEDAS.

¡BIEN! NO QUIERO OÍR NADA MÁS. A VER SI ELLA ME LEVANTA LA MORAL.

COJO LA BOLSA Y ME LARGO. NADAR ME RELAJARÁ.

YA ESTÁ. HASTA LUEGO, LIRÓN. Y NO ROMPAS NADA.

SOY MAMÁ OTRA VEZ. ME OLVIDABA DE DECIRTE QUE...

¡... TE QUIERO!...

¡UGG! ¡HACE FALTA SER CRUEL PARA PONER ESE CENCERRO DE TIMBRE!

BUENO... ES UN SONIDO BONITO.

HAY A QUIEN LE GUSTA VOLVER A CLASE PARA ENCONTRAR LA MIRADA DE ALGUIEN...

DRRLING

¿TIENES EL VALOR DE LLAMARLO SONIDO?

¿PUEDES UTILIZAR TU PODER CON LA CAMPANA DEL RECREO?

PERCIBO LOS RECUERDOS RELACIONADOS CON LA MELODÍA.

¿MELODÍA?

EL RUIDO DE PASOS TAMBIÉN SIGNIFICA ALGO. ¿OÍS ÉSTOS? LIGEROS, ME RECUERDAN...

¡LA PROFESORA RUDOLPH!

¿TÚ CREES? YO ESTABA PENSANDO EN BERTOLD, EL GUARDA.

¡¿EEEEH?!¡ES ELLA EN PERSONA!

BUENO, ¿QUÉ ESTÁIS MIRANDO? YA HE VUELTO DE MIS VACACIONES.

¡YA! ¿EN EL META-MUNDO?

NO OS HAGÁIS LAS IMPORTANTES. ¿HABÉIS OLVIDADO QUE OS SALVÉ EN MERIDIAN?

¿Y TÚ, TARANEE? VEO QUE ESTÁS BIEN. ME ALEGRO.

¡G-GRACIAS!

HABLEMOS CLARO. NO ES DE ESTE MUNDO. ¿POR QUÉ HA VUELTO?

PARA SALVAROS OTRA VEZ. NO PODÍA DEJAROS CON AQUEL SUPLENTE.

BROMAS APARTE, CUANDO DESCUBRISTEIS MI VERDADERA NATURALEZA TUVE QUE ESCAPAR...

153

"PARA VOSOTRAS MI ASPECTO ERA MONSTRUOSO. Y, CUANDO ALGO OS ASUSTA, LOS HUMANOS LO DESTRUÍS".

PERO CREO QUE AHORA PODEMOS AYUDARNOS MUTUAMENTE.

¿AH, SÍ? ¿CÓMO?

ÉSTE NO ES EL LUGAR MÁS ADECUADO PARA HABLAR DE ELLO. VENID ESTA TARDE A MI CASA. OS DARÉ TÉ Y GALLETAS. ¿DE ACUERDO?

BUENOS DÍAS A TODOS. SENTAOS, CHICOS.

COMO LES DECÍA A VUESTRAS COMPAÑERAS, ME HE TOMADO UNOS DÍAS DE VACACIONES...

IRMA. ¿ME OYES?

¡TARANEE! ¿TE ESTÁS COMUNICANDO CONMIGO MENTALMENTE?

SÍ, IRMA. ¡Y TÚ ME ESTÁS CONTESTANDO! YO TAMBIÉN ESTOY PONIENDO A PUNTO MIS PODERES.

¿QUIERES DECIR QUE PODEMOS HABLAR SIN QUE NADIE NOS OIGA?

¡SÍ! VOY A INTENTAR PONERME EN CONTACTO CON HAY LIN.

¡HEY! OS ESTOY OYENDO. ¡ESTO ES MEJOR QUE LAS NOTITAS!

TENEMOS QUE ORGANIZAR ESTA TARDE.

¿QUÉ HACEMOS, IRMA? ¿VAMOS A CASA DE LA RUDOLPH?

NO LO SÉ. ES DEMASIADO EXTRAÑA. YO NO ME FÍO DE ELLA.

DEBEMOS INTENTARLO. QUIZÁ TENGA ALGO IMPORTANTE QUE DECIR.

SIN CORNELIA Y SIN WILL, ¡YO NO VUELVO A AQUELLA CASA!

A PROPÓSITO, ESTOY PREOCUPADA POR WILL. ¿PUEDES CONTACTAR CON ELLA, TARANEE?

SÓLO POR TELÉFONO. ESTÁ MUY LEJOS Y MI PODER ES LIMITADO.

PERO TIENES RAZÓN. NO QUERRÍA QUE DETRÁS DE SU EXTRAÑO COMPORTAMIENTO ESTUVIESE LA MANO DE CEDRIC.

"ES UN MAESTRO DEL ENGA-
ÑO Y DE LA MENTIRA..."

¿HAS DECIDI-
DO ENTRENAR
YA MISMO,
WILL?

¡HOLA, VERA!
HE OÍDO TU MEN-
SAJE EN EL
CONTESTADOR.

YA, PERO
NO CREÍA
QUE LO OIRÍAS
DURANTE LAS
CLASES.

¿QUÉ DIRÍA
TU MADRE SI
SE ENTERASE?

NO HE HECHO
NOVILLOS. HOY
TENÍA UNA RECU-
PERACIÓN,
PERO...

¿QUIERES
QUE HABLE-
MOS?

HHSSOOM

Y LUEGO, SÍ, ESTÁN TUS AMIGAS... AÚN NO ME HAS DICHO POR QUÉ OS HABÉIS PELEADO.

DIFERENCIA DE OPINIONES...

... SOBRE TODO CON CORNELIA. NO ME RECONOCE COMO LÍDER... QUIERO DECIR COMO AMIGA.

PUES DÉJALA.

A TU EDAD ES FÁCIL HACER NUEVAS AMISTADES.

NO PUEDO ABANDONARLAS. HAY... ALGO GRANDE QUE NOS UNE.

COMO QUIERAS, PERO VAYAMOS A LO IMPORTANTE.

?

¿DE VERDAD? ¡YU-JUUU!

¡ES FANTÁSTICO! PERO MI MADRE NO SE LO VA A TOMAR TAN BIEN.

TENDRÁ QUE HACERLO. REPRESENTARÁS A TU INSTITUTO EN EL CAMPEONATO DE NATACIÓN.

YO HABLARÉ CON TU MADRE. CAMBIARÁ DE OPINIÓN CUANDO VEA DE LO QUE ERES CAPAZ.

¡OH, VERA! ¡TÚ SÍ QUE ERES UNA AMIGA!

¿CREES QUE PUEDO ENTRENAR Y ESTUDIAR AL MISMO TIEMPO?

CLARO QUE SÍ. SÓLO ES CUESTIÓN DE ORGANIZARTE. POR CIERTO, ES MEJOR QUE TE VAYAS.

SÍ, PERO ME HE OLVIDADO LA BOLSA EN EL VESTUARIO.

VE, DEJA AQUÍ TUS COSAS, YO LAS VIGILO.

159

BRIIP BRIIP BRIIP

¡TÚ CÁLLATE!

FUZZZ

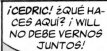

LA CHICA TIENE RAZÓN, VERA. ERES INCREÍBLE.

¡CEDRIC! ¿QUÉ HACES AQUÍ? ¡ WILL NO DEBE VERNOS JUNTOS!

TRANQUILA. PRONTO ESTARÁ EL VERDADERO CAMARERO.

¿ME ESTÁS CONTROLANDO? ¿CREES QUE NO PUEDO ARREGLÁRMELAS SOLA?

NO. SÓLO QUERÍA DECIRTE QUE ESTÁS HACIENDO UN MAGNÍFICO TRABAJO.

Y, GRACIAS A TI, MI PLAN ESTÁ SALIENDO A LA PERFECCIÓN. MI ESPLÉNDIDA, HÁBIL Y ASTUTA...

¡... ELYON!

BIBLIOTECA MUNICIPAL DE HEATHERFIELD, POR LA TARDE...

¡LA EDAD MEDIA! LA GENTE EN LOS SIGLOS... ETCÉTERA, ETCÉTERA. AQUÍ ESTÁ.

CERRAMOS DENTRO DE TRES HORAS. ¿PODRÁS LEERLO TODO?

NO, PERO PUEDO INTENTARLO. GRACIAS POR CONSEGUIRME EL MATERIAL.

NO HAY DE QUÉ. ES MI TRABAJO, Y TENGO TIEMPO LIBRE...

YO NO. CUÁNTOS LIBROS. ¡ALGUNOS PROBLEMAS NO SE RESUELVEN CON LA MAGIA!

HUM... PERIODO OSCURO. NOBLES Y POBRES... SE ME OCURRE COMPARARLO CON...

161

¡... MERIDIAN!

¡CHISSST!

¡UPS! PERDÓN. PERDON.

¡CLARO! PUEDO LEER TODO LO POSIBLE Y PONER LOS DETALLES DE MI EXPERIENCIA.

"YO HE VISTO CÓMO VIVE LA GENTE DE MERIDIAN. PARA ELLOS, LA VIDA DURA Y AL PRÍNCIPE PHOBOS, EL PODER..."

¡SÍ! ANTES DE PONERME A TRABAJAR SERÁ MEJOR QUE APAGUE EL MÓVIL Y...

¿EH? NO RECUERDO HABERLO APAGADO.

MEJOR ASÍ. Y AHORA, LE DEMOSTRARÉ AL PROFESOR COLLINS DE LO QUE SOY CAPAZ.

¡CLICK! EL TELÉFONO MÓVIL AL QUE LLAMA SE ENCUENTRA APAGADO O FUERA DE COBERTURA EN ESTE MOMENTO.

162

NADA, WILL ESTÁ ILOCALIZABLE.

¿NUNCA HABÉIS PENSADO QUE NO ES INDISPENSABLE?

ESCUCHA, CORNY, ¡SIN WILL YO NO ENTRO EN ESA CASA!

PRIMERO: ESTAMOS PERFECTAMENTE CAPACITADAS PARA ENFRENTARNOS CON LA RUDOLPH.

SEGUNDO: ¡DEJA DE ESTROPEAR LOS NOMBRES!

NO LOS ESTROPEO, ¡LOS INTERPRETO!

CORNY SIGNIFICA "CURSI" EN INGLÉS.

MIRA A HAY LIN, SEGURO QUE SE ESTÁ APUNTANDO EN LA MANO QUE LA SEÑORITA-CORNY-SABELOTODO ES LA MEJOR EN TODO.

¿QUÉ ESTÁS GARABATEANDO?

NOS BASTA... TE OXIDANDO...

NO. DICE QUE... NOS RESTA... O...

VIVA LA DISCRECIÓN. HABRÍA PREFERIDO ESCRIBIROS EN VEZ DE DECIROS QUE...

¡... NOS ESTÁN OBSERVANDO!

VENGA, NO SEÁIS TÍMIDAS. ¿QUERÉIS LECHE EN EL TÉ?

¿USTED TAMBIÉN TIE-NE **PODERES**, PROFE-SORA RUDOLPH?

LEVITAR TAZAS Y CUCHARAS NO ES UN PODER. ES... UNA FACUL-TAD MUY ÚTIL.

MIS **SEMEJANTES** TIENEN CAPA-CIDADES MÁGICAS, PERO NO SON NADA COMPARADAS CON LAS VUESTRAS.

¿POR QUÉ NOS HA LLAMADO? ¿TIENE ALGO QUE DECIR-NOS?

LA ÚLTIMA VEZ QUE NOS VIMOS...

"... ME ESCONDÍ EN LOS SUBTERRÁNEOS DE **MERIDIAN**... ALLÍ CONOCÍ A MUCHOS FUGI-TIVOS. REPUDIADOS QUE ODIAN A PHOBOS".

"LOS MÁS RENCOROSOS Y AGUERRIDOS HAN PRESENTADO A LOS DEMÁS A **VATHEK**, EL SIERVO DE **CEDRIC**".

"ESE **TRAIDOR** HA DICHO QUE HA ABANDONADO A SU SEÑOR Y QUE PONE SUS CONOCIMIENTOS AL SERVICIO DE LOS REBELDES".

¿Y ENTONCES? ¿NO PODRÍA SER VERDAD?

HABLEMOS CLARO. ¿VOSOTRAS OS FIÁIS DE MÍ?

¡PUES CLARO!

¡SÍ!

¡CÓMO NO!

¿EH? NO LO ES-TÁ, ¿VERDAD?

ENTONCES, ¿POR QUÉ NO HABÉIS PROBADO LA MERIENDA? ¿CREÉIS QUE ESTÁ ENVENENADA?

DIME, IRMA, ¿NO ERAS TÚ LA QUE TENÍA MIEDO DE LA RUDOLPH?

BUENO, SÍ; PERO ESTAS PASTAS TIENEN UN ASPECTO TAN BUENO.

Y, DE HECHO, LO ESTÁN. TE RECOMIENDO LAS DE COCO, QUERIDA.

¿QUÉ? ¿PUEDE INTERCEPTAR NUESTROS PENSAMIENTOS?

ENTONCES, ESTA MAÑANA, EN CLASE...

VOLVIENDO A LO NUESTRO. SABÉIS QUE VATHEK NO ES DE FIAR.

¡Y HA CONVENCIDO A UN GRUPO DE REBELDES PARA QUE INVADAN LA TIERRA, ESTA TARDE!

¿CUÁNDO EXACTAMENTE?

LA INVASIÓN ESTÁ CONFIRMADA PARA LAS 19.00 HORAS.

¡OH, NO! ¡YA SON LAS 17.00!

¿DÓNDE SE ABRIRÁ EL PASADIZO DE LA MURALLA?

NO LO SÉ. ¿PODÉIS AVERIGUARLO VOSOTRAS?

166

"... SIN WILL".

¡EL COCHE DE MAMÁ! ¡HA VUELTO ANTES! ¡COLLINS LE HABRÁ DICHO QUE NO HE IDO A CLASE!

¡PEOR AÚN! ¡COLLINS ESTÁ AQUÍ! ¡CREO QUE ÉSE ES SU COCHE!

A SABER QUÉ CASTIGO ESTÁN TRAMANDO PARA MÍ.

ES UNA CHICA ESTUPENDA. MUY SENSIBLE E INTELIGENTE.

ESO NO LA DISCULPA, DEAN. TENGO QUE CASTIGARLA. ¡HA HECHO NOVILLOS!

NO SERÁ POR CAPRICHO. TAMBIÉN TE HABRÁ PASADO A TI... HABRÁ TENIDO MIEDO DE ALGÚN EXAMEN Y...

¿Y POR QUÉ HA APAGADO EL MÓVIL? ME PONE FRENÉTICA NO SABER,...

... DÓNDE ESTÁ...

TO GLACK

UNA REDACCIÓN SOBRE LA VIDA DEL HOMBRE EN LA EDAD MEDIA. ¡TREINTA PÁGINAS!

¿QUÉ SIGNIFICA ESO?

NO LO SÉ. YO NO LE HE MANDADO HACER ALGO SEMEJANTE. PERO, DE TODAS FORMAS, ES UN TRABAJO NOTABLE.

¡NOTABLE SÓLO ES SU GENIO!

WILL VANDOM

TERCERO A

BUENO... ESO ME RECUERDA A ALGUIEN.

VANDOM

¡FIUUU! ¡YA ESTÁ! CREÍ QUE MAMÁ IBA A SEGUIRME. CON EL GENIO QUE TIENE...

SERÁ MEJOR NO DARLE MOTIVOS. ENCENDERÉ EL MÓVIL.

¿YA SE HA DESCARGADO? ¡SI CARGUÉ LA BATERÍA AYER POR LA TARDE!

BUENO, QUE ME LO DIGA ÉL. PUEDO HABLAR CON LOS ELECTRODOMÉSTICOS.

¿QUÉ QUIERES?

¿QUÉ QUIERES?

DEJA DE HACER EL ECO. ¡NO TIENES SONIDO ESTÉREO!

¡BAH! UNA GENERACIÓN MÁS Y HABRÍA TENIDO TAMBIÉN VIBRACIÓN.

Y ADEMÁS, UN POCO DE RESPETO. ¿SOY O NO SOY TU SEGUNDA MADRE?

DEJA DE DARTE IMPORTANCIA Y DIME POR QUÉ ESTÁS DESCARGADO.

PREGÚNTASELO A TU AMIGA. ELLA ME APAGÓ. TE DECÍA QUE LA VIBRA...

¡EH! ¡UN MOMENTO!

¿DE QUÉ AMIGA ESTÁS HABLANDO?

BUENO, YA ERA HORA DE QUE TE DIESES CUENTA. NO SABES LO DIFÍCIL QUE ME RESULTA...

¡... ACTUAR!

¿ELYON?

¿PUEDES CAMBIAR DE ASPECTO?

CEDRIC ES UN BUEN MAESTRO. ¿HICISTE LA REDACCIÓN QUE TE MANDÓ?

¡ÉL! ¿QUIERES DECIR QUE CEDRIC SE **TRANSFORMÓ** EN COLLINS?

¡SÍ! NO PUEDE FIARSE UNO DE NADIE. ¡QUÉDATE DONDE ESTÁS!

¡AHORA ENTIENDO EL VACÍO! ¡CON ELYON NO LO HE SENTIDO PORQUE ES UNA EX AMIGA!

DIME UNA COSA. ¿POR QUÉ?

¡NO LO SÉ TODO! ¡EL PLAN ES DE CEDRIC Y YO ME FÍO DE ÉL!

¡DEBÍA ENTRETENERTE POR LAS BUENAS! ¡PERO ME HAS DESCUBIERTO...!

173

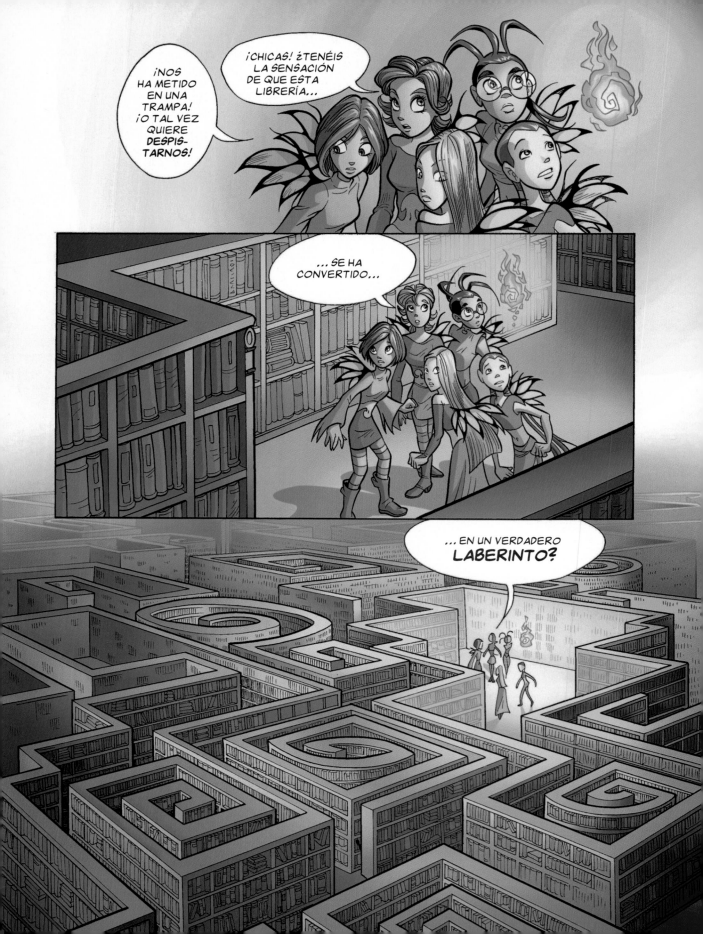

ESPERO QUE SEA ALGO MÁGICO. SI NO, ¡CUÁNTOS CLIENTES PERDIDOS HABRÁ AQUÍ!

¡AH!

¿ESTÁS BIEN, WILL?

ESTOY MEJOR. EL VACÍO DE SIEMPRE. ¡YA HA EMPEZADO LA INVASIÓN! ¡LO SIENTO DENTRO!

SEGUIDME. INTENTARÉ ORIENTARME...

"¡... Y LLEGAR A LA FUENTE DEL PROBLEMA!"

¡DEPRISA! ¡ENTRAD ANTES DE QUE SE CIERRE EL PORTAL!

¡VENGA! ¡MOVEOS!

¡LAS GUARDIANAS ESTÁN AQUÍ!

PACIENCIA, ELYON. QUÉDATE A MI LADO. ESOS REBELDES NO DEBEN VERNOS.

¡VAN A DEJARSE DESTRUIR PARA CERRAR EL PORTAL!

¡DEBO IMPEDÍRSELO! ¡LA INVASIÓN ACABA DE EMPEZAR!

¿DÓNDE VAS? ¡VAN A VERTE Y...!

¡MIRAD, HERMANOS!

SHAATZzz

¡EL SIERVO DE PHOBOS! ¡CAPTURADLO!

¿EH? ¿QUÉ HACEN? ¿AHORA VAN CONTRA CEDRIC?

NO VAN CONTRA ÉL. ¡VAN CONTRA LO QUE REPRESENTA!

"¡AÑOS DE ENGAÑO!, ¡DE POBREZA....!"

¡SOLTADME! ¡EN NOMBRE DE VUESTRO SOBERANO!

"¡... DE SUFRIMIENTO!"

¡AHORA, TENDRÁS TU MERECIDO! ¡EN NOMBRE DE MERIDIAN!

¡APÁRTATE, VATHEK! ¡ELLA Y SUS AMIGAS VOLVERÁN A CERRAR EL PORTAL!

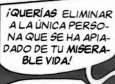

¡QUITADLA DE EN MEDIO! ¡SÓLO ASÍ SERÉIS LIBRES!

¡ES INÚTIL! ¡NO LO HARÁN!

¡VOLVERÁN CONMIGO, A SU... NUESTRO MUNDO!

¿TENGO QUE RECORDARTE QUIÉN MANDA, MONSTRUO INMUNDO?

... Y HE DECIDIDO QUE VOY A SEGUIR HACIÉNDOLO. ¡VAMOS, HERMANOS!

¡TRAIDOR! ¡PHOBOS HARÁ QUE TE ARREPIENTAS!

¡QUERÍAS ELIMINAR A LA ÚNICA PERSONA QUE SE HA APIADADO DE TU MISERABLE VIDA!

P-PERO ¿QUÉ TE PASA?

UN PEQUEÑO MILAGRO. ESTOS DÍAS HE VIVIDO CON LA MEJOR PARTE DE MI OSCURA ALMA...

¡ESTARÉ ESPERÁNDOLO EN LOS SUBTERRÁNEOS DE MERIDIAN!

¡CEDRIC!

¡SÁCAME DE AQUÍ, ELYON! ¡SÓLO ME QUEDAS TÚ...

...SÓLO TÚ...!

¡INCREÍBLE! ¡FANTÁSTICA!

ESAS PALABRAS. ¿CÓMO HAS CONSEGUIDO...

...EN NOMBRE DE... OTRA PERSONA...?

¡N-NO LO SÉ! SALIERON DE MIS LABIOS COMO SI LAS HUBIESE DICHO...

190

Hay algo que preocupa
profundamente a Cornelia y
que necesita comprender.
¿Qué se oculta detrás del
repentino cambio de Elyon?

© 2004 Disney Enterprises, Inc.
Publicado por Editorial Planeta, S. A.
Avda. Diagonal 662-664. 08034 Barcelona
Primera edición: marzo de 2004
Segunda edición: abril de 2004
Tercera edición: junio de 2004
ISBN 84-08-05082-6. Depósito legal: B. 29.787-2004
Impresión: Rotocayfo. Impreso en España